J'apprends
à li
avec Sami

Le CP de Sami

hachette
ÉDUCATION

Avec Sami et Julie, lire est un plaisir !

Avant de lire l'histoire

- Parlez ensemble du titre et de l'illustration en couverture, afin de préparer la compréhension globale de l'histoire.
- Vous pouvez, dans un premier temps, lire l'histoire en entier à votre enfant, pour qu'ensuite il la lise seul.
- Si besoin, proposez les activités de préparation à la lecture aux pages 4 et 5. Elles permettront de déchiffrer les mots les plus difficiles.

Après avoir lu l'histoire

- Parlez ensemble de l'histoire en posant les questions de la page 30 : « As-tu bien compris l'histoire ? »
- Vous pouvez aussi parler ensemble de ses réactions, de son avis, en vous appuyant sur les questions de la page 31 : «Et toi, qu'en penses-tu ?»

Bonne lecture !

Couverture : Mélissa Chalot
Maquette intérieure : Mélissa Chalot
Mise en pages : Typo-Virgule
Illustrations : Thérèse Bonté
Édition : Laurence Lesbre
Relecture ortho-typo : Jean-Pierre Leblan

ISBN : 978-2-01-290381-4
© Hachette Livre 2016.

Tous droits de traduction, de reproduction et d'adaptation réservés pour tous pays.

Achevé d'imprimer en Espagne par Unigraf
Dépôt légal : Mai 2018 - Collection n° 12 - Édition: 05 - 28/6133/8

Les personnages de l'histoire

Madame Alfa

Sami

Tom

Léo

Pour préparer
★ la lecture ★

1 Montre le dessin quand tu entends le son (i) comme dans Sam**i**.

2 Montre le dessin quand tu entends le son (v) comme dans élè**v**e.

3 Lis ces syllabes.

| mi | nu | te | res | ti | bol |

| fi | tar | ber | ver | fa | vo |

4 Lis ces mots-outils.

le	du	et	sa	un

ses	est	sur	il y a	les

5 Lis les mots de l'histoire.

un polo

un bermuda

des tennis

les élèves

un livre

un stylo

Sami avale le reste
du bol et finit sa tartine.

Sami a mis un polo, un bermuda vert et ses tennis favorites.

Papa l'amène.

Sami est fier.

Il a madame Alfa.

Super !

Sur la liste du CP,

il y a les amis de Sami :

Léo et Tom ! Il est ravi.

Les papas

et les mamans partent.

Léo verse une larme...

Sami, Tom et Idriss

le rassurent.

19

Sami s'est mis près de Tom.

Et Léo s'est mis près d'Idriss.

Madame Alfa appelle

les élèves un par un.

Elle donne les livres.

À midi, les 3 amis rient.

Dehors, il y a même des CM2 !

L'après-midi,

madame Alfa dit

de sortir les stylos.

Sami note :

2/09   lire le livre page 9

Mardi

À la sonnerie,

Sami sort.

Maman est là !

1 Le matin,
qui est en retard ?
Papa et Maman
ou Sami et Julie ?

2 Que prend
Sami au
petit-déjeuner ?

3 Comment
Sami est-il habillé
pour sa rentrée
au CP ?

4 Comment
Léo se sent-il
le jour de
la rentrée ?

5 Comment Sami
se sent-il le jour
de la rentrée ?

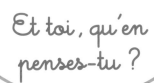

Et toi, qu'en penses-tu ?

Et toi, comment s'est passée ta première journée de CP ?

Comment te sentais-tu le premier jour ? fier(ère), triste ou content(e) ?

Comment s'appelle ta maîtresse (ou ton maître) ?

Qui sont tes meilleur(e)s ami(e)s au CP ?

Tu trouves que le CP c'est facile ou difficile ?

Dans la même collection :

Niveau 1
Début de CP

Niveau 2
Milieu de CP

Niveau 3
Fin de CP

Niveau CE1

Et dans la collection des **Petites Enquêtes** trop chouettes :

hachette
ÉDUCATION